KB178258

보려고 할 때 보이는 것

신의 밤바다

시 선(視線)

'도서 판매 수익금은 전액 기부를 약속합니다'

신의 밤바다 시선(視線)

발행 _ 2023년 12월 30일

지은이 _ 김안(나은샘) 외 10명

글(글감) _ 강수정, 강한나, 고유비, 김세립, 김윤슬,
김주원, 박지우, 신 영, 이 호,허소이,김 안

감수 _ 장은성

디자인 _ **enbergen3@gmail.com**

펴낸이 _ 한건희

펴낸곳 _ 부크크

출판등록 _ 2014.07.15.(제2014-16호)

주소 _ 서울특별시 금천구 가산디지털1로 119 SK트윈타워 A동 305호

전화 _ 1670-8316

이메일 _ **info@bookk.co.kr**

홈페이지 _ **www.bookk.co.kr**

ISBN _ 979-11-410-6255-2

값은 표지에 있습니다.

보려고 할 때 보이는 것

신의 밤바다

시선(視線)

강수정
강한나
고유비
김세립
김윤슬
김주원
박지우
신 영
이 호
허소이
김 안

마음을 모아 더 나은 변화를 위한
교육 가족 모두의 도움에
감사합니다.

content

목차

여는 시

신의도

작은 섬,
누군가 평생 들어보지 못할
그 섬의 이름을 안고 살아가는 사람들

이웃으로, 친구로, 가족이 되어

울림이 있는 기억
기쁨이 되는 추억
잊지 못할 눈부심을 간직한 이곳, 신의도

신의도에 뿌리내린
아이들의 시선에
눈을 맞춘다

보려고 할 때 보이는 것
보고자 할 때 느껴지는 것
일상을 담은
일상의 모습이
평범함을 넘어 특별함이 되는 순간

신의도에 뿌리내린
아이들의 시선에
눈을 든다

희망의 시

응원합니다
여러분의 한 걸음을

이전의 모습을 뒤로하고
아직 보지 못한 새로움으로 옷을 입어
지금
보다
나아감을

응원합니다
친구들의 도전을

두려움이 아닌 희망으로
동료의 손을 잡고
선생님의 이끎에 반응하는 열정
지금
보다
자라남을

신의초등학교 교장 김경노

華
강수정

"그럴싸한 말에 거짓이 숨어
관계를, 우리의 신뢰를,
무너뜨린다"

소금

새하얀 빛에
반짝임을 더한 너는

때론 눈처럼
나를 뒹굴뒹굴하게 만들어

누웠다 일어나고
뛰었다가 걸어보면
톡톡, 툭툭 토도 도독
토도독 툭툭 톡톡

사이사이에 숨어있던 숨바꼭질도 끝
녹지 않고
사라지지도 않아
반짝임을 더하는 너는
새하얀 빛

조개

조개 여러 마리를 호미로 파고
바구니에 담으면

달그락달그락
달그락달그락

갯벌이 소리를 낸다

뜨거운 물에 퐁당
온탕은 아니었는지
조개가 입을 연다, 벌린다

미안, 고마워!

바삭바삭

바다속에서
흐물흐물
둥실둥실 떠다니는 김

김을 건져
햇볕에 바싹!
바삭바삭
맛이 더해진 김

불에 구우면
바삭바삭
빠삭빠삭
빠싹빠싹

잠시 한 눈을 팔다
어랏! 타버렸다

우리는 왜 정직하지 못할까?

우리는 왜 정직하지 못할까?
왜 거짓말을 하고 있을까?

'혼이 날까 무서워'
'다른 사람도 하고 있어'
'유리한 상황이 필요하잖아'

그럴싸한 말에
거짓이 숨어
관계를,
우리의 신뢰를,
무너뜨린다

신의 고인돌

나의 작은 마을엔 고인돌이 있어
위치는 알지만
본 적은 없지

어른들 말로는 있다지만
가서 본 사람을 보이지 않아

얘들아! 우리 고인돌 있지?
그럼 있지!
가봤어?
아니... 있다고 들었어!

그럼 이번에 가볼까?

방향을 맞춰, 힘을 모아

줄다리기를 할 때
학년 경기를 할 때
방 탈출 게임을 할 때
우리는 방향을 맞추고 힘을 모은다

'얘들아, 협력해서 모둠활동해야지!'
공부를 할 때
대화를 할 때
친구를 만들 때

우리는 방향을 맞추고 힘을 모아
발을 맞춘다

첫눈

하늘에서 하얀 눈이 떨어질 때
바라보다 첫눈임을 알아챘다

기쁨과 설렘으로
고개만 가만히 내밀었다가
문을 닫았다

당근

한 입에 아삭
아삭아삭 생당근

한 입에 쏘옥
부드러운 익은 당근

한 입에 고소
달달 기름에 볶은 볶음 당근

하지만

내 입엔

안 맞아

강아지

배고파서 멍멍멍
더워 덥다 헥헥헥
달려볼까?
같이 뛰자!

쉽지 않은 행동

등교할 때 가장 먼저 보이는
'스스로 생각하고 행동하는 나'

창문을 열고 잔디를 디딜 때 보이는
'스스로 생각하고 행동하는 나'

내 생각에 네 생각을 더하고
내 행동에 네 행동을 더해

스스로 생각하고 행동하는 나
같이 생각하고 함께 행동하는 우리

'우리'가 있어 쉽지 않은 행동들

星
강한나

星 강한나

"바다를 보면 문득 행복해진다
바다는 얼마나 많은 추억을 품고 있을까?"

바다

바다를 보면 문득 궁금해진다
바다는 얼마나 많은 생명을 품고 있을까?

바다를 보면 문득 슬퍼진다
바다는 얼마나 많은 쓰레기를 품고 있을까?

바다를 보면 문득 행복해진다
바다는 얼마나 많은 추억을 품고 있을까?

바다를 보면 문득 기대가 된다
바다는 얼마나 많은 가능성을 품고 있을까?

날 부르던 그 목소리들

구름

퐁글퐁글 솜사탕 하얀 구름에
내 마음도 포근포근

회색빛깔 구름에 마음이 어두워져
우중충 그늘이 가득

새록초록한 내일 구름에
벌써 힘이 넘쳐
오늘 본 내일 구름

날치알

작은 입에 크게 들어가는 주황색 날치들
톡 토도 톡 터지는 날치의 알들
마음은 미안한데 입은 즐거워
긍정적으로 생각하라던 선생님의 말씀에
한 번 더 톡 토도 톡

가지

물렁물렁한 가지
나는 가지가 싫다

구워도 물렁
쪄도 물렁
튀겨도 한입 씹으니 속은 물렁물렁

도대체 가지를 왜 먹는 걸까?

낙지

꾸물꾸물 낙지를 잡아보면
타닥타닥 빨판이 손에 붙는다

힘겹게 떼어내고 부드럽게 익혀
쫄깃쫄깃 입을 오물거린다

김+밥

밥, 당근, 오이, 햄, 단무지를
김에 눕혀 토닥인 후
따뜻하게 돌돌돌 감싸고
아플까 손으로 부드럽게 움켜진 다음
바사삭
아사삭
오도독
오물꿀

맛있다!

소금밭

발걸음에 움푹 들어간 새하얀 보석
담고, 기다리고, 밀고, 흘려내고
그저 되는 것 같지만
밭에 있는 토마토가 자라듯
바람도, 햇볕도, 정성도, 관심도 모두 담아 바라볼 때

그때 소금이, 눈이, 보석이 된다

기타

예쁜 소리가 난다고 하던데 이상하다
아름다운 울림이 있다고 하던데 이상하다
내가 해서 그럴까?

언니, 기타 연주 좀 해줘!

예쁜 소리가 난다고 하던데 이상하다
아름다운 울림이 있다고 하던데 이상하다
언니가 해서 그럴까?

선생님!
왜?
아니에요.....

선생님이 연주해서 그럴까?
아름다웠을 소리, 그리고 울림

眞
고유비

"나무엔 나뭇잎 분홍으로 변하고
열매의 달콤함에 내 마음도 봄이 된다"

너의 빛

넌 나의 어두운 밤바다
등대가 되어
찾지 못한 길의 이정표
환하게 인도해

넌 나의 어두운 밤하늘
새침한 별이 되어
외로움의 두려움 속
포근히 인도해

기억해
혼자가 아니야
나는 너의 빛
너는 내가 되어

마음치료 구급함

많고 많은 약으로도
치료할 수 없고
덮을 수 없는
상처가 있지
마음 상처

불행을 행복으로
좌절을 열정으로
아픔을 용기로 만드는
마음치료 구급함

울어도 돼!
눈물 흘려도 돼!
내가 바로 들고 갈게
마음치료 구급함

계절 색

한 해의 시작, 그리고 끝 겨울
추위가 지나고 나면 따스한 봄이 온다

나무엔 나뭇잎 분홍으로 변하고
열매의 달콤함에 내 마음도 봄이 된다

따스함이 지나면 무더운 여름이 온다
수영장에 풍덩, 시원한 아이스크림에 입이 언다

무더위가 지나면 색색이 가을이 온다
빨갛게 물든 낙엽 사이로 노란 낙엽이 춤추고
여기저기 떨어진 색 물감에 내 옷도 물든다

한 해의 끝, 첫눈이 내린다
두꺼운 옷 속 차가워진 손을 넣고
눈을 녹이듯 손을 녹인다

설렘의 한 해
그리움이 지나간다

이어지는 행복

바느질은 실과 바늘로
실이 없으면, 바느질이 없으면

글은 연필과 지우개로
연필이 없으면, 지우개가 없으면

행복은 친구로
친구가 없으면, 내가 없으면

실과 바늘, 연필과 지우개, 행복과 친구
이어짐과 이어짐으로 잊히지 않는
소중함과 특별함

알록달록

걷다 보면 보이는
꽃의 흔들림

붉은 포인세티아
푸른 물망초
노란 해바라기
햇빛의 예쁨을 받고 자라났나?

고개를 숙여 깊숙이 들여다보면
와! 예쁘다, 예전엔 왜 몰랐지

그래, 그랬구나

좋은 추억은

좋은 추억은 좋았던 때로 기억된다
언제인지, 어디인지, 어떤 말을 했는지 보다
감정을 기억한다

나쁜 추억은 나빴던 때로 기억된다
언제인지, 어디인지, 어떤 말을 했는지 보다
감정을 기억한다

추억은 기억이 된다
감정은 기억이 된다

꼬리

길을 지나다 눈을 맞춘 강아지풀
바람 때문일까? 눈 맞춤 때문일까?

집에 있는 강아지 꼬리
간식 때문일까? 눈 맞춤 때문일까?

기린처럼 안고 자는
내려진 꼬리

쓰담쓰담
흔들흔들

"와! 예쁘다, 예전엔 왜 몰랐지"

木
김세립

"몇 번 없는 기회에 손가락을 세어본다
아쉬움에 즐거움이 잊힌다"

학교

매일 가기엔 많고
가면 피곤한
급식은 맛있지만
집에 가고 싶어지는
끝나면 신나고
방학은 기다려지는 학교

선생님은요?

선생님도 그래!

체험학습

몇 번 없는 기회에 손가락을 세어본다
아쉬움에 즐거움이 잊힌다

고양이

귀여움에 문득
키우고 싶은 넌

부모님이 싫다 하셔
데리고 올 순 없어

사고뭉치 왕 뭉치
키우지 못하는 넌

그래도 가끔은 볼 수 있어
만족해

우유 급식

이상하다, 먹었는데
사물함에 쌓이네

운동하다, 먹었는데
왜 이렇게 맛있지?

작년엔 더 맛있었는데
어렸을 땐 더 맛있었는데
나이가 드니 알겠다
우유 맛이 변했다

시간이 없어

오랜 시간 함께하고 싶어
손을 놓고 싶진 않지만

밥은 먹어야지
잠은 자야지
공부는 해야지
친구는 만나야지
책은 읽어야지

시간이 없어
매일의 매일까지

님 티어 몇?

"오랜 시간 함께하고 싶어"

月
김윤슬

"봄은 시작이다,
새로움이다"

개학

새 학년이 되어 반에 들어가 보니
어느새 산처럼 높은
6학년이 된다

둘, 셋 서로 모여
왁자지껄 소란함이 친근함이 되어갈 때
이해 가득, 사랑 가득 선생님이 들어오신다

부처님 같은 선생님의 한걸음에
소리가 몸을 숨긴다

윤슬아! 선생님 교회 다녀!
아……

내 머릿속은 백지

아무것도 그려져 있지 않은 백지처럼
무엇이든 그릴 수 있는 백지처럼

공부할 때 내 머릿속은
글을 쓸 때 내 머릿속은
그림을 그릴 때도
온통 하얀 백지처럼

학교를 갈 때
학원을 갈 때
내 머릿속은 구름을 닮은 백지가 된다

집에 갈 땐
꽉 찬 그림이 된다

봄

봄은 시작이다, 새로움이다
꽃을 기르며
아름다움을 나다움으로

겨울은 시작이다, 봄의 일어남이다
친구를 사귀며
우리다움을 너다움으로

친구

우리 반 친구들은 좋다

다퉈도 다시 화해하고
언제 싸웠냐는 것처럼 친해진다

우리 반 친구들은 착하다

말을 안 하다가도
속이 상하고 기분이 좋지 않을 때
먼저 다가와 위로해 준다

작은 운동장

빈 시간이 좋아
수업 후 빈 시간 쉬는 시간
중간에 빈 시간 중간놀이 시간
점심 먹고 빈 시간 점심시간

빈 시간이 되면
운동장은 축구공으로 가득 찬다
친구들의 떠드는 소리로 가득 찬다

떼를 쓰는 친구
기뻐하는 친구
화를 내는 친구
조용한 친구
이 많은 친구들이 다 어디에서 나왔는지

컸던 운동장은 작은 운동장이 된다

건강 걷기

통학버스에서 내리면
네모난 운동장을 둥글게 돈다

하루에 다섯 바퀴,
다섯이 모여 스티커 하나
스티커 다섯이 모여 뽑기 하나

모두들 기다리느라 고생했어!

받아든 스티커에 조용해진 운동장
다시 이어지는 대화와 걸음

학예회

두근두근 기다림으로
긴 시간이 짧아지고

콩닥콩닥 기대함으로
열심히 준비해

손으로
말하고 연주하고
입으로 불어
눈으로 말했다

쿼카

갈색 털옷을 입고
찡긋 웃는 넌
멸종 위기 동물이라
키울 순 없어

아무리 애교를 보이고
웃으며 다가와도
만질 수 없어

그래!
꿈에서 만나자

쓰담, 쓰담
언니가 돌봐줄게!
언니랑 놀자

實
김주원

"짙은 안개로, 거친 파도로
맑은 것들로 자신을 채운다"

고래

섬은 고래처럼
정체를 드러내지 않는다
짙은 안개로, 거친 파도로
맑은 것들로 자신을 채운다

섬은 고래처럼
다색의 옷을 입는다
나무로 상의를, 풀로 하의를
새소리를 담은 브로치까지
알록하고 달록함으로 자신을 채운다

섬은 고래처럼
물결을 만든다
돌에 붙은 전복으로, 헤엄치는 물고기들로
반갑다고 인사하는 김과 미역으로
가지 마라 붙잡는 갯벌의 끈적함으로 자신을 채운다

물감

한 세트에 10색 물감
빨강, 파랑, 노랑을 눌러 섞어
친구들을 만든다

넓은 바다색
좁은 바다색
깊은 바다색
옅은 바다색

기억할게!
기억해 주면 좋겠어!

말 한마디

말은 큰 힘을 가지고 있어
보이지 않는 영향력을 행사한다

가슴속에 주름을 만들고
잊히지 않는 슬픔을 남긴다

장난이란 표를 붙여
가볍게 하다 보면
헤어 나올 수 없는 중독이 된다

감사란 표를 붙여
무겁게 하다 보면
끊어지지 않는 연결이 된다

치킨

치킨을 먹으면 많은 생각이 든다
뜨거운 기름에 치이익
닭이 불쌍하기도 하고

혼자 다 먹을 수 없음에도
혼자만 먹고 싶은 욕심이 가득해

별로 안 먹고 싶은데
먹고 싶어진다

왜일까?

비둘 구구단

구구 구구 구구
비둘기는 언제나 구구
사람들 주변에서 구구
다가가도 구구
구구단을 외우는 건가?

맞아
구구단이 쉽지는 않았지!

친구라는 이름의 유통기한

목마를 때 필요한 물도
유통기한이 있고

매일 먹어도 맛있는 밥도
유통기한이 있다

어쩌면 친구라는 이름도
유통기한이 있는지 모르겠다

어제오늘 친했던 사이가
바늘보다 얇은 뾰족함에 틈이 생기고
그저 네게 좋은 일인데 내 마음에 미움이 생기는 걸

그래! 친구라는 이름에 유통기한을 정하자
너와 나의 기한은 평생!

信
박지우

"걷다 보면
푸른빛 섬 사이
바닷길이 있지만 ..."

낮은 산을 오를 땐 52

아삭아삭 수분이 팡
집 뒤 낮은산을 오를 땐 오이가 필수

걷다 보면 아기 손을 닮은 고사리도 있지만
힘차게 꺾어 한 손에 쥘 뿐
입에 들어가진 못해

걷다 보면 향기로운 보라 꽃도 많지만
발걸음을 잠시 멈출 뿐
미소를 만들진 못해

걷다 보면 푸른빛 섬 사이 바닷길이 있지만
눈을 들어 땅이 아닌 물을 바라볼 뿐
목마름을 채우진 못해

블록 더하기 레고

블록을 맞추다
손가락이 사이에 껴
소리 없이 아픔을 뱉는다

없던 모양, 있던 색을 더해
생각을 조립하고
손을 움직인다

만들었다
밀어본다
다시 맞춘다
분해한다

그리고 맞춘다
마음이 편하다

감자 새우 샐러드

퍽퍽하지만 맛있음
감자

소금에 콕콕 맛있음
감자

감자에 새우를 더해 감자 새우 샐러드

새우는 왕새우
맛있음 새우

찜기에 마사지 하고
맛있음 새우

붉은색 옷이 잘 어울리는 감자 새우 샐러드

S vs A

사회 시간에 나온 경제라는 단어에
S와 A의 다툼 시작

S는 친구들이 많아
할 말이 많아
Phone, Book, Tab, Buds, Watch, Z 플립

A도 친구들이 많아
할 말이 많아
Note, Watch, Phone, PC

S 몇 명이야?
A 명 몇이야?

애들아! 우리 반은 몇 명이지?

전복

까끌까끌 돌이 왜 이리 인기가 많은지
눈을 크게 뜨고 바다 깊이 들어가
손바닥만 한 전복을
망에 담아 나온다

알았다
전복을 손질하고 남은
전복 껍데기에 반짝하고
보석이 보인다

찾았다
까끌까끌 돌에
보석이 인기가 많았군

"애들아! 우리 반은 몇 명이지?"

成
신 영

● 成 신 영

"어떤 생각을, 어떤 방법으로
어떻게 표현하고, 어떻게 전할까?"

마지막 선생님

귀가 넷
입이 하나
눈이 셋
선생님은 상담사다

손가락은 열다섯
발은 둘
심장은 셋
체온은 40℃
틈 없는 따뜻함으로
수업을 준비하신다

가끔 생기는 틈은
눈치채지 못하도록
우리들이 메운다

아실까?
선생님이
좋은 선생님이란걸?

● 成 신 영

시집

도서관에서 책을 고르다
재미있어 보이는 널 찾았지
읽어볼까?

어! 시집이네
읽어도 읽어도 잘 모르겠어
무슨 말을 하고 싶은 거야?

어쩌지,
그래, 그럼
내가 널 가까이서 만져볼게

어떤 생각을, 어떤 방법으로
어떻게 표현하고, 어떻게 전할까?

고민, 고민하다
내가 말했지
우리 오늘 말고 내일 만나자

시험

종소리가 울리고
끄적끄적

힛, 너무 쉬운걸
엇! 이게 맞나?
힝! 헷갈린다
헙! 어렵다
핫! 마지막 문제다
할 수 있어!

선생님이 말씀하셨지
끝까지 하는 게 중요하다고

그래 맞아
더 해보고 더 노력하면 되지 뭐!

● 成 신 영

바람과 나무

바람이 분다 해서
뿌리가 흔들릴까
흔들림 없이 흔들리는 바람
그리고 가지
그리고 잎

삐딱삐딱

삐딱! 의자가 삐딱
삐딱! 나무가 삐딱
삐딱! 자세가 삐딱
삐딱! 행동이 삐딱
삐딱! 또 행동이 삐딱
삐딱삐딱! 또또 행동이 삐딱

이제
그만 삐딱할래!

향

사람마다 다르게 느껴지는 향
코가 아닌 입으로 맛보듯
지독하게, 포근하게

아무런 향도 없는
무화과의 달콤함이 가득한

다름을 평가의 기준으로 세우지 않아
내 향을 잃지 않기 위해

나의 초등 생활

나의 첫 초등학교
삥꾸삥꾸 1학년!
그때는 모든 게 처음이라
모두 다 서툴렀지

따끈따끈 2학년!
적응도 하고 후배도 생겨
모범을 보이고 싶었어

두근두근 3학년!
선배들이 무서웠고
공부가 어려워졌지

찰랑찰랑 4학년!
가끔 부모님께 반항도 했어
기억나

● 成 신 영

쓱싹쓱싹 5학년!
6학년이 되기에
잔소리를 많이 들었지
아직 5학년인데

뻥꾸뻥꾸 6학년!
공부는 어렵고
귀여운 후배님께
모범을 보일 일은 많아졌어

그리고
이제
폭풍의 중1!

잘 들어, 지금 놀아야 해!

신상

새로운 상품이
편의점에 나왔나?
오늘은 수요일, 편의점에 물건 들어오는 날

"그래 맞아
더 해보고 더 노력하면 되지 뭐!"

浩
이 호

"이젠 섬을 떠나
육지로 간다"

섬

외로워 보였던 섬에서
외롭지 않은 3년을 보내고
이젠 섬을 떠나
육지로 간다

긴 시간이었을 그 기간이
짧게 느껴지는 건 여러 채워짐으로
시간이 순간이 되었기 때문일 것이다

새로움에 좋다
새로움이 두렵다

Mr. Ann

선생님이 중요하게 생각하는 몇 가지가 있다
'대화'
'문제보단 해결에 집중'
'누구야보다는 왜'

그렇기에 친절하시다
분명하게 알려주신다
그리고 느끼하다

즐거웠다
내 인생의 일 년

가볍고 무거운

일상에서 거의 사용하지 않아
그럼에도 배우고 익숙해져야 하는
그렇기에 가볍고 무거운

일상에서 자주 경험하지 되는
그렇기에 배우고 익숙해져 버린
그럼에도 가볍고 무거운

수학
그리고
체육

핸드폰

졸업하고 바꿔 준다고 약속한
핸드폰이 깨졌다
못마땅한 핸드폰

졸업은 아쉽지만
핸드폰이 있기에
어쩔 수 없이 받아들여야 할 이별

이제 이별이다
새 친구를 기대하며

다이어트

달콤하기에 줄여야 하는 것이 있어
귤 탕후루
샤인 머스켓 탕후루
딸기 탕후루

재미있기에 줄여야 하는 것도 있지
놀리는 말
멈추지 않는 행동
어두운 생각

빠져들기에 줄여야 하는 것도 있고
쓴맛이지만 늘려야 하는 것도 있어

마음은 알지만
잔소리는……

청개구리

오라고 할 땐 오지 않고
오지 말라고 할 때 오는 넌
청개구리

내 마음을 모르는지
학교에서, 학원에서
단단히 마음먹을 때, 그때
넌 내게 와 쓰담쓰담해

이른 저녁, 이른 아침을 위해
만나려고 하면 오지 않는 넌
청개구리

잠
나를 잠꾸러기로 만드는 넌
청개구리

Rebound

영화를 봤다
리바운드

어려움에 무너지지 않고
아픔에 포기하지 않는
넘어짐에 다시 일어서는
주인공들

내 꿈의 내 모습
리바운드

“문제보단 해결에 집중”

笑
허소이

"섬 사이로 떠오르는 맑고 청량함
아침"

잔소리

선생님은 언제나 잔소리를 하신다
한 번에 짧게
하지만 이어서 여러 번
1분, 7분, 15분
시간이 빠르게 지나간다

선생님의 잔소리는 남다르다
핵심을 콕 집어
다른 짓을 할 수가 없다

도움이 되는 것은 분명하다
놀라운 관찰력과 통찰력
나도 써먹어야지!

오빠!

풍선의 인생

둥글 작은 몸에 바람을 넣으면
풍선은 생명이 된다
아기가 된다

시간을 보내며 놀다 보면 쭈굴쭈굴
어른이 된다

그리고 커진 몸에 바람을 넣어도
주름이 가시지 않는다
인생이다
풍선의, 그리고 우리의

팔딱팔딱

새우는 언제나 팔딱팔딱

먹이를 먹을 때 팔딱
탈출하려고 팔딱
얼음 물이 차가워 팔딱
다시 깨어나며 팔딱
소금과 만나 팔딱

미안하고 고마워
맛있어서 팔딱팔딱

황성금리 해수욕장

섬 사이로 떠오르는 맑고 청량함
아침

쨍하고 눈부신 드넓음
점심

달을 받아 출렁이는 움직임
저녁

어떤가요?
오실래요?

방학

조용해진 교실 사이 복도를 지나
뽀득뽀득 실내화가 운동장을 거닌다

축축해져 늘어진
눈 내린 풀 사이로
함박웃음에 운동화를 입는다

살금살금 걸어 나와
젖은 물기를 털며
고요한 교실에 들어간다

아직은 비어있는 그리움에
의자가 머뭇거릴 때
털썩!
하고 앉아
어서 오기를, 네가 오기를
기다린다

예의

누구를 바라보든
존중과 배려의 시선을 담아
공손한 태도를 드린다

당신께도
나에게도

왜

산소는 왜? ________

관계는 왜? ________

차별은 왜? ________

약속은 왜? ________

공부는 왜? ________

책임은 왜? ________

________ 다음은?

"존중과 배려의 시선을 담아
공손한 태도를 드린다"

격려의 시

온 동네 아이들

노은리 경숙이는 고교구규 침 흘리고
원목리 춘식이는 하나, 둘, 셋 손가락을 곱더니
소장리 진우는 좋다고 팔짝 폴짝
황성금리 영진이는 모든 게 내 것이라

가락리 순희도 모룡리 경희도
이리 빼꼼 저리 빼꼼 눈치도 보고
기동리 영식이는 나를 좋아한다고
구만리 희숙이는 너를 좋아한다고

보내온 날들이 너무도 많아
그때가 그리워 니가 보고프고
그날이 아련해 니가 생각나면

마음속에 그려보는
오~온 동네 아이들

신의초등학교 교감 김영주

작가의 말

소중한 이들에게 '의미 있는 즐거움의 날들'이 가득하기를 바라는 것은 당연한 일이다. 그렇기에 '새로운 일들, 특별한 경험들'이 우리의 분주함을 대신했으면 하는 마음에 사로잡힐 때가 있다. '같이' 시간을 보내기보다는 특별한 체험을 우선하고, 집 주변과 마을의 작은 돌, 이름 없는 풀을 보기보단 낯선 환경을 제공함에 보람을 느낀다. 이것이 자녀를 대하는 부모이자 학생을 마주 보는 교사로서 나의 마음이었는지도 모르겠다.

하지만 이번 '익숙함에 시선을 맞추는 글쓰기 프로젝트'를 통해 '흔한 것'은 '보려고 하지 않을 때의 상태'라는 것을 생각해 보게 되었다. 어쩌면 학생들의 특별한 능력을 꺼내려 그들의 미소, 재잘거림, 실수와 교사를 향한 소통의 순간들이 익숙해졌던 것은 아닌가, 흔한 것이 되어 보이지 않았던 것은 아닌지 되돌아 생각하게 된다.

짧지 않은 시간을 보내는 섬에서의 생활이, 그리고 시각이 학생들의 인지적 감각 지경을 넓힐 수 있는 '의도적 눈 맞춤'의 기회가 되기를 기대해 본다.

"와 예쁘다. 왜 전에는 몰랐지?"

- 준비하며 들려온 학생의 새로운 시선

닫는 시

누구도 시시한 인생으로 계획되지 않았다

우리 사이에 쌓인 시선의 교차는
보려고 하지 않아도 보이는 것을 사라지게 한다

작은 시선을 거두고
한 치 앞에 집중하다 보면
어느 순간 시선의 교차는 사라지고
보이지 않던 것도 보이게 된다

돌담, 갈대와 억새, 병 무리와 부표 사이
친구와 선생님, 바다와 섬, 강아지와 색연필 사이

익숙함은 시선을 가리고
가려진 눈은 생각을 멈추게 한다

주변의 작은 것을 느끼며
생각하고, 눈을 뜨고, 시선을 들어
일의 이루어짐에 동행하기를
함께 하기를
마음으로 기대해 본다

누구도 시시한 인생으로 계획되지 않았다
나도, 너희들도, 그리고 당신도

華 강수정 星 강한나 眞 고유비
木 김세립 月 김윤슬 實 김주원 信 박지우
成 신 영 浩 이 호 笑 허소이 安 김안

우리는 모두 창작의 과정을 나누었습니다.
도서 판매 수익금은 전액 기부를 약속합니다.